Le Serpent de mer

Les Éditions du Boréal reconnaissent l'aide financière du gouvernement du Canada par l'entremise du Fonds du livre du Canada (FLC) pour leurs activités d'édition et remercient le Conseil des arts du Canada pour son soutien financier.

Les Éditions du Boréal sont inscrites au programme d'aide aux entreprises du livre et de l'édition spécialisée de la SODEC et bénéficient du programme de crédit d'impôt pour l'édition de livres du gouvernement du Québec.

© Les Éditions du Boréal 2014
Dépôt légal : 2ᵉ trimestre 2014
Bibliothèque et Archives nationales du Québec

Diffusion au Canada : Dimedia
Diffusion et distribution en Europe : Volumen

Catalogage avant publication de Bibliothèque
et Archives nationales du Québec et Bibliothèque et Archives Canada
Bergeron, Alain M., 1957-

    Le serpent de mer

    (Les petits pirates ; 13)
    (Boréal Maboul)
    Pour enfants de 6 ans et plus.
    ISBN 978-2-7646-2301-5

    I. Sampar. II. Titre. III. Collection : Bergeron, Alain M., 1957- .
Petits pirates ; 13. IV. Collection : Boréal Maboul.

PS8553.E674S47	2014	jC843'.54	C2013-942408-3
PS9553.E674S47	2014		

Les Petits Pirates 13

Le Serpent de mer

texte d'Alain M. Bergeron
illustrations de Sampar

Boréal Maboul

Le valeureux équipage du Marabout

Le pirate Jean de Louragan : jeune
capitaine et fils adoptif du pirate Suzor
de Louragan, décédé à l'âge
de 108 ans. Il a hérité de la frégate
Le Marabout et d'un bandeau
de pirate qu'il porte sur l'œil droit
ou sur l'œil gauche, selon le pied
qu'il pose le premier au sol
en se levant le matin.

Merlan : le mousse du bateau.
Malgré son jeune âge, il a beaucoup
de bonne volonté. Dommage qu'il soit
si distrait. Mais sur Le Marabout,
il apprend de ses erreurs.

Samedi : cousin éloigné de Vendredi, le copain
de Robinson Crusoé. Il a la vue perçante
d'un aigle et est tout aussi chauve.
Pas étonnant qu'il soit à la vigie. Un seul
problème : il a le vertige. Et ça, c'est étonnant !

*Bâbord, Sabord
et Tribord : triplés
identiques surnommés
« les terreurs de
la Huitième Mer ».
Bâbord est né trois
minutes avant Sabord*

*et cinq minutes avant Tribord. Un seul signe distinctif entre
les trois : l'accent circonflexe sur le prénom de Bâbord.*

*Dupont-le-Claude :
seul membre à bord âgé de plus
de 10 ans. Presque aussi vieux
que Le Marabout, il a sillonné
la Huitième Mer. Second du
pirate Suzor de Louragan,
il est devenu le troisième
de Jean de Louragan. Il est
encore et toujours à la barre.*

*Zakouzie : elle s'est jointe à l'équipage
après avoir été tirée d'un très long sommeil
par un baiser du capitaine Jean de Louragan.
Les triplés prétendent qu'une fille sur le pont
d'un navire porte malheur. Tant pis pour eux !*

Chapitre 1

Le 11 novembre 1785.

Quelque part au milieu de l'après-midi.

Tout l'équipage est réuni sur le pont. Dupont-le-Claude demeure à son poste, près de nous. À l'occasion, il consulte le papier doré collé à la barre. Mon père, le pirate Suzor de Louragan, y a inscrit ses instructions. C'est ainsi qu'il nous invite à poursuivre notre quête du trésor des trésors.

Assis sur un petit banc, le mousse Merlan essaie de traire la vache Soya. Nous attendons tous notre breuvage préféré.

— C'est long ! se plaint Bâbord.

— Très long ! ajoute Sabord.

— Trop long ! renchérit Tribord.

Pas une goutte de lait au chocolat ne veut sortir des pis de Soya.

Zakouzie a beau prendre la place du mousse, le résultat demeure le même.

— Elle est à sec ?

— Non, mon capitaine, répond Zakouzie. Je la sens nerveuse. On dirait qu'elle a peur de quelque chose…

Les triplés se dirigent vers Soya. Ils écartent Merlan et Zakouzie.

— Laissez faire les experts ! déclare Bâbord.

— Il faut y aller avec tact ! observe Sabord.

— Et avec doigté ! conclut Tribord.

La vache réplique violemment.

Poc ! Poc ! Poc !

Les triplés reçoivent chacun un coup de sabot dans le front qui les propulse les quatre fers en l'air.

— Bravo, les experts ! se moque Zakouzie.

Merlan tente de calmer Soya en lui flattant le museau.

— Oui, ce sont de vilains triplés, lui murmure-t-il à l'oreille.

La vache agite la queue comme pour exprimer son accord.

Malgré l'approche en douceur de Merlan, Soya reste visiblement agitée. Et pas seulement à cause des triplés.

Cela me laisse songeur. Dommage, je réfléchirais mieux avec une bonne tasse de lait au chocolat.

Mais qu'est-ce qui peut bien effrayer la vache Soya ?

Le ciel est d'un bleu pur, sans nuages. La température est idéale et le vent, juste assez fort pour gonfler les voiles du *Marabout*.

L'instinct de Soya serait-il détraqué ?

Déçus, nous retournons à nos postes.

Dès qu'il est dans son nid-de-pie, Samedi

s'écrie :

— Objet flottant inconnu ! Droit

devant !

Je m'élance à la proue du navire. Zakouzie et les triplés sont penchés au-dessus de la rambarde.

— Qu'est-ce que c'est ? demande Zakouzie.

Les trois frères la regardent comme si elle avait dit une énormité.

— Ben… C'est évident ! commence Bâbord.

— Oui, c'est un… continue Sabord.

— D'accord avec toi ! finit Tribord qui n'en sait pas plus que ses frères.

On dirait un long morceau de tissu miroitant. Je demande aux triplés :

— Vous me repêchez ça, garçons ?

Sabord et Tribord attrapent chacun une jambe de Bâbord et le suspendent au-dessus

de la mer. La tête à l'envers, ce dernier cap-
ture l'objet flottant à l'aide d'un harpon. Une
fois sa mission accomplie, il est hissé à bord
par ses deux frères.

Tous s'activent à étendre l'étrange tissu sur le plancher du bateau. Bientôt, il occupe une large partie de la surface du pont. Premières constatations : cet espèce de tapis est vraiment très grand et... il est couvert d'écailles.

— C'est une peau de serpent, dis-je, incrédule.

Chapitre 2

Dans un mélange de stupeur et d'horreur, nous examinons la peau écaillée et vide du serpent. Déployée sur le pont, elle témoigne de la grande taille de l'animal. Zakouzie a de plus en plus de mal à calmer la vache Soya.

Les triplés, eux, haussent les épaules.

— Bof ! lâche Bâbord.

— Re-Bof ! ajoute Sabord.

— Il n'y a plus rien à craindre, traduit Tribord. La bête y a laissé sa peau…

Zakouzie pousse un soupir d'agacement.

— On voit que vous ne connaissez rien aux serpents !

Elle caresse le museau de Soya et y dépose un baiser.

— Beurk ! commente Bâbord, dégoûté.

— Re-Beurk ! insiste Sabord.

— Ouais ! Pauvre Soya ! précise Tribord.

En un éclair, Zakouzie agite une portion de la peau du serpent sous le nez des triplés.

— Si le serpent s'est dépouillé de sa peau, c'est parce qu'elle était devenue trop petite pour lui !

— Hiiii ! s'écrie Merlan, qui a tout compris.

On ne peut en dire autant des trois frères. Zakouzie est désespérée.

— Il faut tout vous expliquer ! Le serpent est plus gros que cette peau ! Il doit être si imposant aujourd'hui qu'il nous serait impossible d'en faire le tour avec nos bras.

Un lourd silence s'installe. Tous prennent conscience du danger que représente un reptile format géant.

D'un signe de tête, Dupont-le-Claude m'invite à le rejoindre à la barre. Il me désigne les indications de mon père.

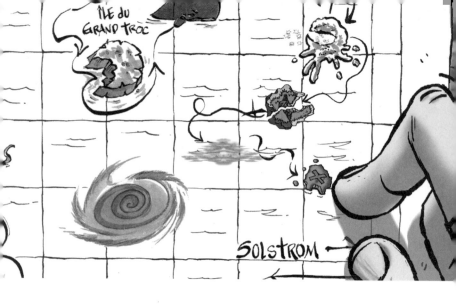

— Vous voyez, mon capitaine, la flèche qui nous montre la route ? Elle n'est pas droite, mais sssinueuse…

— Sssinueuse ?

— Sssi ! Sssinueuse ! Comme un ssserpent qui ondule, précise-t-il de sa voix rauque.

Cette flèche mène à une île avec une croix rouge en son centre.

Je jette un coup d'œil à la peau morte du

monstre sur le pont. Je demande aux triplés de la ranger au fond de la cale. Sait-on jamais ? Elle pourrait bien nous être utile un jour…

— Devrons-nous affronter un serpent de mer pour atteindre l'île ?

Dupont-le-Claude hoche la tête.

— J'en ai peur, en effet.

De retour à la vigie, Samedi pointe le doigt vers l'avant.

— Une île !

En vitesse, je préviens les petits pirates.

— Le serpent de mer est sûrement dans les environs. Il risque de nous bloquer la route.

Sous mes ordres, les triplés chargent les canons de poudre et de boulets. En cas d'urgence, ils seront prêts à être employés.

Comme le soir avance, je fais jeter l'ancre.

Des récifs protègent l'île où le trésor des trésors est peut-être enterré. Il serait donc périlleux de s'aventurer dans ces eaux la nuit.

Il faudra maintenant veiller à ce que le serpent ne nous surprenne pas durant notre sommeil.

— Soyons sur nos gardes ! dis-je, les dents serrées.

Le jour tombe… Des torches sont allumées. La nuit s'annonce interminable.

Chapitre 3

Pour parer à une attaque du serpent, j'organise des tours de garde sur le pont. Je forme des paires : Zakouzie et Merlan ; Samedi et moi. Les triplés préfèrent travailler à trois.

Bâbord, Sabord et Tribord sont d'ailleurs les premiers à monter la garde. Les autres peuvent aller se coucher.

Dans ma cabine de capitaine, je ne dors que d'un œil. Je suis trop préoccupé. Jusqu'où faudra-t-il aller pour trouver le trésor des trésors ? Combien reste-t-il d'étapes d'ici là ? Une ? Dix ? Mille ? Et combien de journées d'école avons-nous perdues depuis notre départ du port de Solstrom ?

La réponse à cette dernière question me fait sourire…

Soudain, j'entends des bruits inhabituels venir du pont.

Clac-Clac-Clac-Clac

Je me redresse. Que se passe-t-il ?

Clac-Clac-Clac-Clac

En un rien de temps, je bondis hors de ma couchette. J'enfile mes habits de capitaine et je mets mon bandeau de pirate sur mon œil. Puis, j'émerge de ma cabine, sabre à la main.

Clac-Clac-Clac-Clac

J'aperçois les triplés, éclairés par des torches, qui se giflent l'un l'autre. Et ils y vont… joyeusement ! C'est toute une bagarre.

À force de se cogner dessus, ils en ont les mains et le visage rougis !

Clac-Clac-Clac-Clac

Je leur ordonne de cesser.

— Mais pourquoi, capitaine ? dit Bâbord.

— On ne se faisait pas de mal, continue Sabord.

— Ça nous évitait de nous endormir, ajoute Tribord.

Je m'étonne :

— Vous vous frappiez au visage pour vous tenir éveillés ?

— Oui, répond le trio en chœur. Vous connaissez une meilleure méthode ?

La question me laisse sans voix. Sur ces entrefaites, Samedi surgit derrière moi et demande :

— Je peux me joindre à vous ? Mon tour de garde s'en vient et je m'endors aussi…

Le festival des claques reprend de plus belle

quand, au travers du bruit, je perçois… un
sifflement.

« Ssss… Ssss… »

Je murmure :

— Chhhhut ! Vous avez entendu ?

« Ssss… Ssss… »

— Oui, capitaine ! dit Zakouzie qui nous rejoint à son tour.

Les claques n'ont pas seulement tenu les triplés éveillés. Leur bruit a réveillé tout le monde. Voilà les autres membres de l'équipage qui arrivent sur le pont.

— Ça se déplace autour du vaisseau, observe Dupont-le-Claude avec justesse.

D'abord venu de la proue, le sifflement provient maintenant de la poupe, accompagné d'un nouveau bruit.

On dirait que quelque chose pousse contre la coque.

— Meuuuuh ! hurle la vache Soya, épouvantée.

Accompagnée du chien Milougarou, elle cherche à se réfugier dans ma cabine. Mais son

derrière trop large reste coincé dans la porte.
Incroyable ! Grâce à un ultime effort, elle
arrache le battant et s'engouffre à l'intérieur.

Plutôt que d'aller nous cacher, nous cou-
rons tous nous pencher par-dessus bord.
Faiblement éclairée par les torches, une forme
sombre et longiligne frôle notre navire. On la
dirait sans fin.

— C'est le serpent de mer ! s'écrie Merlan,
terrifié.

Chapitre 4

Un incroyable serpent de mer rôde autour de notre vaisseau. À la lueur de nos torches, nous suivons ses déplacements.

Comprenant à quel point nous sommes vulnérables, j'ordonne :

— À vos postes !

« Ssss… Ssss… »

Tout à coup, une tête énorme émerge de l'eau et s'élève lentement. À cause de l'éclat de la lune en arrière-plan, on distingue mal les traits de la bête. Mais on entend soudain ses mâchoires claquer. Il n'y a pas un instant à perdre. Comme la cible est immobile, je m'écrie :

— Feu !

Les triplés manœuvrent le canon en direction du serpent. Un coup de tonnerre et un éclair de flammes explosent dans le noir de la nuit.

Le reptile géant plonge si vite que le boulet file au-dessus de sa tête.

— Il va frapper la lune ! s'inquiète Bâbord.

Le boulet tombe dans l'eau quelques centaines de mètres plus loin.

Nous nous élançons vers le bastingage pour constater la disparition du serpent. Il s'est enfoncé dans la Huitième Mer, où se mire la Lune, toujours intacte…

Bien que le monstre se soit enfui, la tension demeure vive. Se manifestera-t-il de nouveau ?

Trop énervés pour nous coucher, nous montons tous la garde pendant le reste de la nuit.

— Venez voir ça ! me lance Dupont-le-Claude, aux premières lueurs de l'aube.

Il me montre le papier doré sur lequel notre prochaine destination est inscrite.

— Et alors ? lui dis-je.

En un tour de main, il arrache le papier doré… qui en dévoile un autre, semblable. Mon cri de surprise attire les petits pirates autour de moi.

— Ce papier en cachait un deuxième, précise mon fidèle troisième. Prenez connaissance de ces nouvelles indications.

Je lis :

« *Sss…* comme *ssserpent…*

Sss… comme *sssacrifice…*

Sss… comme… »

J'ai compris. Je regarde mes amis et je déclare gravement :

— Il semble que nous devions offrir quelqu'un en sacrifice au serpent de mer.

Personne ne dit mot.

— Il nous faut sacrifier un membre de l'équipage dont le nom commence par *S…*

— Eh bien, mon capitaine, c'est ssstupide ! si vous désirez mon avis, réplique Zakouzie. Avec tout mon respect…

Les triplés dévisagent Zakouzie avec un large sourire.

— Quoi ? Que me voulez-vous ? s'énerve-t-elle.

— *Sss…* comme *Sakouzie* ! lance Bâbord.

— Le sssacrifice de Sssakouzie au sssserpent ! ajoute Sabord.

— Sssaprisssti ! Pauvre sssserpent ! conclut Tribord.

Zakouzie rétorque, avec un ricanement :

— C'est *Zakouzie* avec un *Z* et non pas *Sakouzie* avec un *S*! *Sss*, à propos, comme... *Sssabord*...

— Non ! C'est ssstupide ! s'écrie Bâbord.

— Et c'est *sss*... comme *Sssamedi*! s'exclame Tribord.

La vigie, malgré sa peau noire, blêmit à vue d'œil !

— Mais... mais pourquoi moi ?

— Assez, garçons ! dis-je d'un ton sec. Il n'y aura aucun sssacrifice dans mes rangs.

J'approche la torche près de mon visage pour que tous voient mon air déterminé.

— Aucun trésor ne vaut la vie d'un des nôtres, est-ce clair ?

Bâbord lève la main.

— Pas même celle de Sssakouzie ?

— Sssurtout pas ! répond-elle pour moi.

D'un geste, j'impose le silence.

— Un ssseul sssacrifice suffira : celui du
ssserpent de mer !

Chapitre 5

Au lever du soleil, nous mettons le cap sur l'île. Mais *Le Marabout* demeure immobile, malgré le vent qui souffle dans ses voiles. Notre navire n'est pourtant pas enlisé dans un banc de sable… Il est retenu par le monstre !

« Ssss… Ssss… »

Le serpent de mer se dresse hors de l'eau. À la lumière du jour, il est encore plus terrifiant. Sa langue fourchue, interminable, se déploie pour sentir l'air.

Ses yeux nous observent l'un après l'autre.

— Ne bougez pas, dis-je aux petits pirates dans un souffle.

Les triplés n'ont pas eu le temps d'atteindre un canon. Nous n'avons donc que nos sabres pour nous défendre.

Le serpent claque des mâchoires. Il tangue doucement. Sans parvenir à résister, nous l'imitons… comme si nous étions en son pouvoir.

Je suis incapable de parler. Mes bras ont la pesanteur du plomb. Bouger me demanderait un effort surhumain. Nous sommes à la merci du serpent de mer et de son étrange pouvoir.

Avec horreur, je vois le monstre s'incliner vers Zakouzie. Va-t-il la dévorer vivante ? L'avaler d'un seul coup ?

Le serpent l'effleure de sa langue. Puis il répète son manège avec Merlan, les triplés,

Dupont-le-Claude et enfin avec moi.
Après m'avoir fixé, il passe sur mon
visage sa langue dégoulinante de
bave. Beurk ! Quelle épouvantable
sensation !

Subitement, le reptile géant ouvre grand la bouche. Ses crochets sont aussi longs que mes bras.

Ça y est ! C'est moi qui serai son premier repas. Ai-je quitté le port de Solstrom pour finir dans l'estomac d'un serpent ?

SSS...SSS...

« MEUUUUH ! »

La vache Soya !

Son cri a troublé la concentration de la bête et rompu le charme. Le monstre n'a maintenant d'yeux que pour ma cabine, où la vache se terre toujours.

Il y dirige sa grosse tête, ignorant que tous les petits pirates ont repris le contrôle de leurs mouvements. Nous réagissons en vitesse. À grands coups de sabre, nous attaquons la créature, qui se cambre sous la douleur et recule hors du navire.

Les triplés chargent le canon et tirent. Vif comme l'éclair, le serpent plonge dans la mer. Encore une fois, le boulet file dans le vide.

— Il va frapper le soleil ! s'inquiète Bâbord.

Au loin, le boulet touche la surface et s'enfonce dans l'eau salée.

Le monstre risque de revenir à tout instant. Nous nous regroupons autour de Dupont-le-Claude, retourné à la barre. Zakouzie demande :

— Vous avez vu le comportement du serpent lorsqu'il a entendu le meuglement de Soya ?

— Ouais, dit Sabord. Le sssserpent sssalivait en sssongeant à Sssoya, c'est sssûr !

Une vérité s'impose.

— Le sacrifice n'était pas prévu pour Samedi ou Sabord…

— Peut-être pour Sssakouzie ? rêve Tribord.

— Non, dis-je. Le *S*, c'est pour *Soya* !

— Quoi ? s'emporte Merlan, indigné. Nous allons sacrifier notre amie Soya pour un trésor ?

Le mousse court et se braque devant la porte de ma cabine, d'où nous parviennent toujours les mugissements de la vache. Il brandit sa hache.

— Vous n'y toucherez pas !

Zakouzie le rejoint.

— Qui osera ? renchérit-elle en montrant ses poings.

— Si vous insistez, commence Bâbord. On ne va pas mourir pour une vache qui ne donne plus de lait au chocolat !

Flanqué de ses frères, il marche vers Merlan et Zakouzie.

— Arrêtez, garçons ! leur dis-je avec un sourire moqueur. Si le serpent de mer souhaite avoir Soya à son menu, nous la lui livrerons. Et avec grand plaisir !

Chapitre 6

J'explique mon plan. Chacun doit s'acquitter de sa tâche au plus vite. Samedi remonte à la vigie pour guetter l'arrivée du serpent de mer.

Les triplés remplissent un large tonneau de poudre à canon qu'ils posent ensuite sur des caisses afin qu'il soit bien à la vue. Zakouzie déniche une bâche pour le recouvrir en partie et attache un court balai à l'avant en guise de tête…

Du fumier de Soya est répandu sur la toile par Dupont-le-Claude. Merlan aurait aimé ajouter du lait au chocolat, mais Soya résiste toujours aussi farouchement à toute séance de traite. Le monstre la rend très nerveuse. Elle refuse d'ailleurs de sortir de ma cabine, qu'elle continue de partager avec le chien Milougarou.

La mèche pour le baril fera office de queue. Pourvu que le serpent de mer n'y voie que du feu !

Encore faudra-t-il allumer la mèche à temps… Ce sera la tâche de Zakouzie, la plus agile d'entre nous. Elle s'empare déjà de sa torche.

Voilà ! La fausse Soya est en place. Il ne reste plus qu'à attendre…

— Le serpent ! hurle Samedi, en montrant du doigt la poupe du navire.

La menace vient donc de derrière.

« Ssss… Ssss… »

Le reptile se maintient sans difficulté hors de l'eau. Il claque des mâchoires, puis il oscille avec lenteur. Je crie :

— Ne le regardez pas dans les yeux !

Le monstre aperçoit la fausse Soya.

— À vous, Merlan ! dis-je au mousse.

Le garçon, tapi derrière le baril de poudre, pousse des « Meuh ! Meuh ! Meuuuuh ! »

« Ssss… Ssss… »

La langue du reptile balaie l'air.

Mordra-t-il à l'appât ?

Et comment !

La tête du serpent de mer s'abat soudain sur la fausse Soya.

Merlan s'écarte à la dernière seconde, évitant d'être happé par la mâchoire meurtrière.

— Zakouzie ! La mèche !

Elle ne bronche pas. Ou si peu : elle se balance doucement. Je découvre qu'elle est à nouveau sous le pouvoir de la créature. Sans hésiter, je cours pour lui arracher la torche de la main.

Le monstre relève la tête. Le derrière de la fausse Soya dépasse encore de sa gueule. Mais il est sur le point de l'engloutir. C'est mainte-

nant ou jamais! Je lance la torche… Ouf! La flamme atteint la mèche qui prend feu.

J'ai juste le temps de voir la corde enflammée se faire aspirer comme un spaghetti entre les mâchoires refermées de la bête. Un curieux « pchssss » se fait entendre lorsqu'elle y disparaît. Ce passage étroit l'aurait-il éteinte ?

La tête toujours dressée, le monstre nous dévisage. Tout est donc perdu ?

« Ssss… Ss… »

Sur qui va-t-il se jeter maintenant ?

« S… S… »

Ça ne va pas… Le serpent est secoué de fortes convulsions. Le baril serait-il coincé ?

« Ssss… Burp ! Ssss… Burp ! Ssss… Burp !… »

La tête du monstre est pulvérisée par l'explosion.

Le souffle me projette contre le sol. En même temps, deux projectiles me frôlent chacun une épaule. Des claquements se font entendre derrière moi. Je ne m'en préoccupe même pas. Je suis trop absorbé par l'idée d'avoir réussi !

Épilogue

Le corps inerte et désormais sans tête du serpent de mer flotte à proximité du navire.

— Vous l'avez échappé belle, mon capitaine, me signale Dupont-le-Claude.

— Que voulez-vous dire, mon vieil ami ?

De son menton, il me désigne la porte de ma cabine, derrière moi.

Deux crochets du monstre sont enfoncés de plusieurs centimètres dans le bois. Si j'avais été un peu plus à gauche ou à droite, j'en aurais reçu un en pleine poitrine ! Je chancelle.

« Meuuuh ! »

— Monsieur Merlan, libérez cette pauvre Soya de sa prison, lui dis-je.

Soya sort, éblouie par la lumière du jour. Toute nervosité semble disparue. Merlan lui caresse le museau.

— Le vilain monstre est parti. Boum ! Fini !

Sans qu'on le lui commande, la vache se rend à sa place coutumière. Merlan et Zakou-zie s'empressent de la suivre pour la traire.

Ça fonctionne !

— Une bonne rasade de lait au chocolat pour tout le monde ! dis-je à la ronde. Nous l'avons bien méritée.

Heureux, je chante :

« Quinze enfants sur le coffre au trésor
Yo ho ho ! Et une bouteille de lait…

Le rhume et la peur ont emporté les autres
Yo ho ho ! Et une bouteille de lait au cho-co-laaaat ! »

Ce livre a été imprimé sur du papier 50 % postconsommation,
certifié ÉcoLogo et fabriqué dans une usine fonctionnant au biogaz.

Les Éditions du Boréal
4447, rue Saint-Denis
Montréal (Québec) H2J 2L2
www.editionsboreal.qc.ca

MISE EN PAGES ET TYPOGRAPHIE :
LES ÉDITIONS DU BORÉAL

ACHEVÉ D'IMPRIMER EN FÉVRIER 2014
SUR LES PRESSES DE L'IMPRIMERIE GAUVIN
À GATINEAU (QUÉBEC).

Le chant est repris par tous. La bonne humeur règne sur le pont du *Marabout*.

— Quelle est la suite, mon capitaine ? demande Dupont-le-Claude.

— La voie est libre. Remettons le cap sur cette île. Qui sait ce qui nous y attend ? Peut-être le trésor des trésors ? Enfin !

Et j'espère qu'on en a terminé avec les serpents…

À suivre dans : *Le Prince des serpents*